献给孩子的《奇妙的科学》

　　你是一个热爱科学的孩子吗？你梦想过成为一名科学家吗？

　　你了解我们的国宝大熊猫吗？你知道沙漠里生活着什么动物吗？你想过去海底世界畅游吗？

　　如果你立志成为一个热爱科学的人，那么从今天开始，来了解我们身边的世界，探索大自然的奥秘吧。

　　我们为热爱科学的孩子创作了这样一套《奇妙的科学》绘本。在这里，你可以触摸到可爱的动物、神奇的植物，还有好多神秘而又有趣的知识呢；在这里，你可以读到很多精彩的故事，可以欣赏到美丽而精致的画面。

　　更重要的是，这里的故事蕴藏着宝贵的科学道理。书中有"成长笔记"和"延伸阅读"两个小栏目，它们会像指路明灯一样指引着我们，走近科学，爱上科学。

　　好吧，让我们一起翻开书，一起走进知识的海洋吧！

走近国宝
大熊猫

孙静编/吴飞绘

长江出版社

图书在版编目（CIP）数据

走近国宝大熊猫 / 孙静编；吴飞绘 . — 武汉：长江出版社，2015.1
（奇妙的科学）
ISBN 978-7-5492-3132-4

Ⅰ . ①走… Ⅱ . ①孙… ②吴… Ⅲ . ①大熊猫—儿童读物 Ⅳ . ① Q959.838-49

中国版本图书馆 CIP 数据核字（2015）第 033277 号

奇妙的科学·走近国宝大熊猫

QI MIAO DE KE XUE ZOU JIN GUO BAO DA XIONG MAO

走近国宝大熊猫　　　　　　　　　　　　　　　　孙静 编/吴飞 绘

责任编辑：高　伟
装帧设计：新奇遇文化
出版发行：长江出版社
地　　址：武汉市解放大道1863号　　　　　　邮　编：430010
E-mail：cjpub@vip.sina.com
电　　话：（027）82927763（总编室）
　　　　　　（027）82926806（市场营销部）
经　　销：全国各地新华书店
印　　刷：武汉鑫佳捷印务有限公司
规　　格：787mm×1092mm　　　　1/16　　　2 印张
版　　次：2015年1月第1版　　　2015年3月第1次印刷
ISBN 978-7-5492-3132-4
定　　价：12.80元

寒冷的冬天，许多动物为了生存，不得不躲在树洞里或地底下冬眠。然而，也有一些动物是不怕冷的。瞧，一个长得像熊又像猫的家伙，迈着内八字步在雪地里慢悠悠地走着。有趣的是，他的脸上还带着一副超大号的"墨镜"。

这个神气十足的家伙就是动物界鼎鼎有名的国宝——大熊猫。他圆圆的脑袋，胖嘟嘟的身体，短短的尾巴，还有黑白分明的皮毛，看上去真是惹人喜爱。因为脸庞长得比别的伙伴要圆一些，所以大家都叫他"圆圆"。

大熊猫是一种古老的动物，现在全世界只在中国有分布，而且数量稀少，因此被我国称为"国宝"。

5

"朋友，这么冷的天，外面又没有吃的，你怎么不回家冬眠啊？"一只松鼠从树洞里探出脑袋，哆嗦着问。

"我们大熊猫靠竹子为生，而竹子在冬天并不会枯萎，所以我也用不着冬眠啦！"圆圆得意地说。

"你们真幸福啊，不像我们，一整个冬天都只能待在这个小地方，哪儿也去不了。"

"不要难过，冬天来了，春天就不远了，那时你便可以漫山遍野游玩啦。"

　　不知不觉，春姑娘来了。一场春雨过后，竹林里冒出了很多鲜嫩的竹笋，它们吮吸着春天的甘露，一节一节地拼命向上长。晨光透过层层竹叶，洒满了这片竹林。

成长笔记

　　大熊猫的食谱几乎包括了在高山地区可以找到的各种竹子，又被称为"竹熊"。

　　"咦，前面有新长出来的竹笋和竹叶，那些都是我最爱吃的美食。"圆圆欣喜地加快脚步，来到竹林，使劲儿拔了几棵竹笋，然后一屁股坐在地上，用前爪抓住竹笋欢快地吃了起来。

填饱了肚子，圆圆该找个地方美美地睡一觉了。要知道，大熊猫每天除去一半进食的时间，剩下的大部分时间都是在睡梦中度过的。

成长笔记

　　大熊猫每次要睡2～4个小时，树杈、草坪、雪地等，都是睡觉的好去处。

15

　　圆圆找了个干净又结实的树杈，"嗖嗖"几下就爬了上去。只见他不紧不慢地调整自己的睡姿，然后用前爪遮住眼睛，才一会儿工夫就睡着了，连耳边有几只讨厌的虫子捣乱都没有发觉。

一觉醒来，太阳公公已经高悬当空了，圆圆伸了个懒腰便爬下了树。"我得去活动活动，不然身材就变形了。"通常这个时间，圆圆都会去山林中的一条小溪边玩耍，因为在那里总是能碰到其他的伙伴。

成长笔记

大熊猫有时还会下到山谷，窜到住宅把锅盆桶具，尤其是圆形的器皿当成玩具。

"圆圆，你来了，快和我们一起玩捡石子的游戏吧！"
圆圆刚看到伙伴们，就听到了小兔子的声音，于是三步并
作两步走了过去。

游戏开始了。就在大家玩得正开心的时候，小兔子突然不小心掉到了小溪里，吓得他一边扑腾一边直喊救命。

幸好圆圆就在溪边，他听到呼喊声后，毫不犹豫地跳进小溪救起了小兔子。

"太谢谢你了，圆圆，原来你会游泳啊，我们都不知道呢！"小兔子感激地说。

　　"不用谢，我们大熊猫天生就会游泳的，可别以为我们长得胖就不会游泳啊。"大熊猫说完，伙伴们都不约而同地笑了起来。

○ 成长笔记

　　大熊猫长期生活在深山密林中，光线很暗，障碍物又多，因此视力非常差。

延伸阅读

会抓竹鼠的大熊猫

　　竹鼠是一种专吃箭竹的地下根的害鼠，大熊猫一旦闻到它的气味，或发现其踪迹，很快就能找到它的洞穴，然后用嘴往洞里喷气，并用前爪使劲拍打，迫使竹鼠慌忙出逃，成为自己的盘中餐。如果竹鼠不出洞，大熊猫就会来个挖洞抄家，直到将其捕获。

大熊猫

体型庞大，动作迟缓，毛色黑白相间，短尾巴，会游泳，是国家一级保护动物。

浣熊

因进食前要将食物在水中浣洗而得名，眼睛周围有一圈深色皮毛，尾巴上有斑纹，擅长游泳。

小熊猫

小巧可爱，动作灵活，毛棕红色，长尾巴上面还有 9 个暗红相间的环纹，因此又被称作"九节狼"，不会游泳，是国家二级保护动物。

《奇妙的科学》绘本的四大特色

★ 这是一套专门为 3~9 岁小朋友编写的优秀科普读物。

★ 选取的都是小朋友最感兴趣的主题，包含了动物、植物、天文、地理等多个领域。

★ 语言生动活泼，再配以精致的插图，使全套书达到故事与科学的完美结合。

★ 书中精心设计了"成长笔记"和"延伸阅读"两个小栏目，有助于激发小朋友探索科学的兴趣。